14,50

Sharon Creech

Hou van die hond

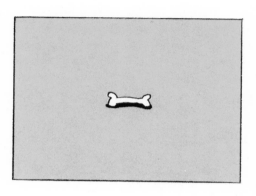

Vertaald uit het Engels door
Michèle Bernard

Met illustraties van
Rotraut Susanne Berner

UITGEVERIJ HOOGLAND & VAN KLAVEREN

Voor
Sandy en Jack Floyd
Mark en Karin Leuthy Benjamin
Louise England
Rob Leuthy

die allemaal
van hun hond houden

Speciale dank aan
Walter Dean Myers

en aan alle dichters
en de meesters en juffen Strechberry
die hun leerlingen elke dag inspireren

JACK

Lokaal 105 - Juf Strechberry

13 september

Ik wil het niet
want jongens
schrijven geen gedichten.

Meisjes wel.

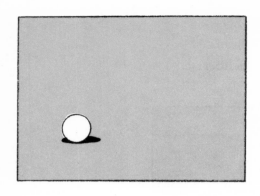

21 september

Geprobeerd.
Gaat niet.
Hoofd leeg.

DE RODE KRUIWAGEN
Van William Carlos Williams

Er hangt zoveel af
van

een rode krui-
wagen

glanzend van regen
water

naast de witte
kippen.

27 september

Ik begrijp niks
van het gedicht over
de rode kruiwagen
en de witte kippen
en waarom
er zo veel van hen
afhangt.

Als dat een gedicht is
over de rode kruiwagen
en de witte kuikens
dan kan elk woord
een gedicht zijn.
Je hoeft alleen maar
korte
regels
te maken.

*4 oktobe*r

Belooft u
het niet
hardop voor te lezen?
Belooft u
het niet
op het bord te prikken?

Oké, daar komt ie,
maar ik vind hem niet goed.

> *Er hangt zoveel af*
> *van*
> *een blauwe auto*
> *die onder de modderspatten*
> *als een speer door de straat scheurt.*

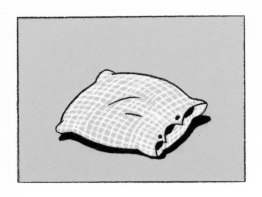

10 oktober

Wat bedoelt u met—
Waarom hangt er zoveel af
van
een blauwe auto?

U heeft nooit gezegd
dat ik moest vertellen *waarom.*

Die man van die kruiwagen
heeft ook niet verteld *waarom.*

STOPPEN BIJ EEN WOUD OP
EEN SNEEUWACHTIGE AVOND

Van Robert Frost

Ik weet wel wie dit woud bezit,
Waar hij woont in het dorp, en dit:
Dat hij mij niet ziet kijken naar
Zijn woud, met sneeuw gevuld en wit.

Mijn kleine paard vindt het vast raar
Te stoppen zonder hofstee daar
Tussen het woud en ijzig meer
De zwartste avond van het jaar.

Hij schudt zijn bellen heen en weer
Zo vraagt hij: ging 'r iets fout, dit keer.
Je hoort de kalme wind, blijft staan
Een donzige vlok, niets anders meer.

Het diep en donker woud trekt aan,
Maar ik heb beloftes ooit gedaan,
En voor ik slaap een eind te gaan,
En voor ik slaap een eind te gaan.

17 oktober

Hoe zat dat nou met
het gedicht over dat besneeuwde bos
dat u vandaag voorlas?

Waarom blijft die figuur niet gewoon
doorgaan als hij nog
een eind te gaan heeft
voor hij slaapt?

En waarom moet ik meer vertellen
over de blauwe auto
die onder de modderspatten
als een speer door de straat scheurt?

Ik wil niet
schrijven over die blauwe auto
die een eind te gaan had
voor hij in slaap viel,
zo'n eind te gaan
met zoveel haast.

DE TIJGER*
Van William Blake

Tijger! Tijger! vlammenvacht
In de wouden van de nacht,
Welke god of ademtocht
Heeft uw wreed lijnenspel gewrocht?

* Eerste strofe

24 oktober

Het spijt me, maar
het gedicht van de tijger tijger vlammenvacht
heb ik niet helemaal begrepen
maar het klonk wel goed
in mijn oren.

Hier is de blauwe auto
met tijgergeluiden:

> *Auto, auto, blauwe kracht*
> *in het duister van de nacht:*
> *wie zag jou gaan door de bocht*
> *als een speer die 'n doelwit zocht?*

> *Ik zag je gaan in de nacht*
> *auto, auto, blauwe kracht*
> *ik zag je gaan door de bocht*
> *als een speer die 'n doelwit zocht.*

Sommige tijgergeluiden
klinken nog steeds in mijn oren
als drums die
beuk-beuk-beuken.

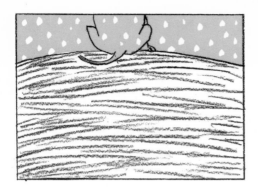

31 oktober

Ja
u mag
de twee blauwe auto-gedichten
op het bord prikken
maar alleen
als u niet
mijn naam
erbij zet.

6 november

Ze zien er goed uit
zo uitgetypt en wel
op blauw papier
op een geel prikbord

(Maar nog steeds mondje dicht
over wie ze geschreven heeft, oké?)

(En wat betekent *anoniem?*
Is dat goed?)

9 november

Ik heb geen huisdieren
dus ik kan er niet over schrijven
en ik kan er al helemaal
geen GEDICHT
over schrijven.

15 november

Ja, ik had ooit een huisdier.
Ik wil er niet over schrijven.

Nu gaat u me zeker vragen
Waarom niet?
Toch?

22 november

Doen alsof ik hem nog steeds heb?

Kan ik niet gewoon een huisdier verzinnen—
een ander dier?
Zoals een tijger?
Of een hamster?
Een goudvis?
Schildpad?
Slak?
Worm?
Vlo?

HOND
Van Valerie Worth

Onder een esdoorn
Ligt de hond languit,
Zijn slappe tong sliert
Uit zijn bek, geeuwt,
Legt zijn lange snuit
Voorzichtig tussen
Voorpoten;
Kijkt op, alert;
Hapt, met zware
Kaken, naar een slome vlieg,
Knipoogt, rolt
Op zijn zij,
Zucht, sluit
Zijn ogen: slaapt
De hele middag
In zijn ruime vel.

29 november

Die kleine gedichten
die we vandaag lazen,
vond ik leuk.

Als ze zo klein
zijn
kun je er
een heleboel
in korte tijd lezen
en dan zitten er
in je hoofd
allemaal plaatjes
van al die kleine dingen
uit al die kleine gedichten.

Ik vond de sprong van dat babypoesje
uit het kattengedicht leuk
en hoe je dat lange hoofd
van dat paard
uit het paardengedicht voor je zag
en ik vond vooral die hond
uit het hondengedicht leuk
omdat mijn gele hond
altijd precies zo ging liggen,

met zijn tong slap uit z'n bek
en zijn kin
tussen zijn voorpoten
en hoe hij soms
naar een vlieg hapte
en weer in slaap viel
in zijn ruime vel,
net zoals die dichteres,
Mevrouw Valerie Worth,
schrijft
in haar kleine
hondengedicht.

4 december

Waarom wilt u
het uittypen
wat ik heb geschreven
over die kleine gedichten?

Het is geen gedicht.
Of wel soms?

Van mij mag u het best
op het bord prikken
als u dat wilt
maar zet
mijn naam
er niet bij
voor het geval
andere mensen
vinden
dat het geen gedicht is.

13 december

Het lijkt eigenlijk best
op een gedicht
als je het
uitgetypt ziet.

Maar ik denk dat het
er misschien nog beter uitziet
als je wat meer ruimte
tussen de regels laat.
Zoals ik het de eerste keer
had opgeschreven.

En dat plaatje
van de gele hond
dat u erbij hebt gedaan
vond ik ook mooi.

Maar mijn gele hond
zag er niet zo
uit.

HET WEILAND
Van Robert Frost

Ik ga de bron in het weiland schoonmaken
Ik zal alleen stoppen om de bladeren weg te harken
(En wachten tot het water helder wordt, misschien):
Ik blijf niet lang weg.—Jij moet ook mee.

Ik ga het kleine kalfje halen
Dat bij de moeder staat. Het is zo jong
Het wankelt als ze het likt met haar tong.
Ik blijf niet lang weg.—Jij moet ook mee.

10 januari

Ik begreep echt echt echt
helemaal NIKS van
het weilandgedicht
dat u vandaag voorlas.

Ik bedoel:
iemand gaat naar
het weiland
om de bron schoon te maken
en het kleine, wankelende kalfje
te halen
dat daar staat
en hij blijft
niet lang weg
en hij wil dat JIJ
(wie is JIJ?)
ook komt.

NOU JA zeg.

En u zei dat
meneer Robert Frost
die over het weiland
heeft geschreven

dezelfde is
als die van het besneeuwde bos
en het eind dat hij te gaan heeft
voor hij slaapt—
Nou!

Ik denk dat meneer Robert Frost
een beetje
te
veel
tijd
over
heeft.

17 januari

Herinnert u zich nog
dat kruiwagengedicht
dat u in de eerste schoolweek
voorlas?

Misschien maakte de kruiwagendichter
alleen maar
een plaatje
met woorden
en
heeft iemand anders—
misschien wel zijn juf—
het uitgetypt
en dat mensen toen dachten

dat het een gedicht was
omdat
het op een gedicht leek
toen het was uitgetypt.

En misschien
is het met
meneer Robert Frost
ook zo gegaan.
Misschien maakte hij gewoon
plaatjes met woorden
over het besneeuwde bos
en het weiland—
en dat zijn juf
ze heeft uitgetypt
en dat ze op gedichten *leken*
zodat mensen dachten
dat het gedichten waren.

Zoals u hebt gedaan
met mijn blauwe auto-dingen
en die ene over die kleine gedichten.
Op het prikbord
uitgetypt
lijken ze op

gedichten
en de andere kinderen
kijken ernaar

en denken
dat het echte
gedichten zijn
en zeggen allemaal
Wie heeft dat geschreven?

24 januari

We gingen een ritje maken
en mijn vader zei
We blijven niet lang weg—
Jij moet ook mee
en daar ging ik dan
en we reden en we reden
tot we stopten bij een
gebouw van roodbaksteen
met een bord waar op stond
in blauwe letters
DIERENASIEL.

En binnen liepen we
door een lange betonnen gang
langs kooien
met allerlei soorten
honden
groot en klein
dik en dun
en sommige
zaten verscholen in een hoekje
maar de meeste
blaf-blaf-blaften en
sprongen
tegen het hek op

toen we langsliepen
alsof ze wilden zeggen
Mij! Mij! Neem mij!
Ik ben de beste!

En toen zagen we
de gele hond
die tegen de kooi aan stond
met zijn poten
om het hek gekruld
en zijn lange rode tong
hing uit zijn bek
en zijn grote zwarte ogen
keken een beetje zielig
en zijn lange staart
kwis-kwis-kwispelde
alsof hij wilde zeggen
Mij! Mij! Neem mij!

En dat deden we.
We namen hem.

En in de auto
legde hij zijn kop
tegen mijn borst
en krulde hij zijn poten

om mijn arm
alsof hij wilde zeggen
Dank je dank je dank je.
En de andere honden
in de kooien
worden dood afgemaakt
als niemand ze neemt.

31 januari

Ja
u mag best uittypen
wat ik heb geschreven
over mijn gele hond
maar laat dat gedeelte
over die andere honden
die dood afgemaakt worden eruit
want dat is te zielig.

En zet
alstublieft
mijn naam
er niet bij.

En misschien staat het
wel mooi op
geel papier.

En misschien
moet u er als titel
boven zetten
JIJ MOET OOK MEE.

7 februari

Ja
het ziet er goed uit
op geel papier
maar u bent
(alweer)
vergeten om meer
ruimte
tussen de regels
te laten
zoals ik deed
toen ik het schreef.

Maar dat geeft niet.

STRAATMUZIEK
Door Arnold Adoff

DEZE STAD:
DE
ALTIJD
  HERRIE
KRONKELT
OMHOOG
uit de
METRO'S
ONDER
de grond:
gedender van busbanden
en taxitoeters en motoren
van auto's en vrachtwagens in alle

VOCABULAIRES
van
bots
klots
gepiep
gloeiend metaal TAAL
  COMBINATIES:
terwijl VLIEGTUIGEN
  BOVEN
BRULLEN

EEN
ORKEST
van rollende drums
en strijdstoten
dat mijn oren
bestormt
MET DE
ALTIJD
   HERRIE VAN
DEZE STAD:

Straatmuziek.

15 februari

Ik vond het gedicht leuk
dat we vandaag lazen
over straatmuziek
in de stad.

Mijn straat
ligt niet
midden in de stad
dus je hoort
niet die HARDE muziek
van claxons en vrachtwagens
bots
klots
piep.

Mijn straat ligt
aan de rand
van een stad
en er klinkt
meestal
zachte muziek
fluis
miauw
zoef.

Mijn straat is SMAL
met huizen aan beide kanten
en mijn huis is
die witte
met die rode deur.

Er is niet veel verkeer
in mijn straat—
niet als in het
midden
van een stad.

We spelen in de tuin
en soms
op straat
maar alleen als er
een volwassene
of grote kinderen
bij zijn die
AUTO!
roepen
als ze een auto
aan zien komen.

Aan beide kanten
van onze straat

staan gele borden
waarop staat
Rij voorzichtig! Spelende Kinderen!
maar soms
letten
de auto's niet op
en scheuren
door de straat
alsof
ze ENORME haast
en nog een eind te gaan hebben
voor ze gaan slapen.

DE APPEL

Van S.C. Rigg

```
                              S
                              T
                              E
                              E
                              L
                            T
                          J
                        E
         appel appel       appel appel
        appel hmm appel hmm appel hmm appel
       sappig sappig sappig sappig sappig sappig sappig
      stevig stevig stevig stevig stevig stevig stevig stevig stevig
       geel groen rood geel groen rood geel groen rood geel groen
      appel appel appel appel appel appel appel appel appel appel appel
      appel appel appel appel appel appel appel appel appel appel appel
      appel appel appel appel appel appel appel appel appel appel appel
      lekker hmm lekker hmm lekker hmm lekker hmm lekker hmm lekker
      hmm hmm hmm hmm hmm hmm hmm hmm hmm hmm hmm hmm
      hmm hmm hmm hmm hmm hmm hmm hmm hmm hmm hmm hmm
      hmm hmm hmm hmm hmm hmm hmm hmm hmm hmm hmm hmm
      hmm hmm hmm hmm hmm hmm wormige worm bah bah bah hmm
      hmm hmm hmm hmm hmm hmm wormige worm bah bah bah hmm
      hmm hmm hmm hmm hmm hmm hmm hmm hmm hmm hmm hmm
      lekker hmm lekker hmm lekker hmm lekker hmm lekker hmm lekker
       appel appel appel appel appel appel appel appel appel appel appel
       appel appel appel appel appel appel appel appel appel appel appel
        appel appel appel appel appel appel appel appel appel appel
        groen rood geel groen rood geel groen rood geel groen
         stevig stevig stevig stevig stevig stevig stevig stevig
          sappig sappig sappig sappig sappig sappig
           appel appel appel appel appel
            appel appel appel
```

1 februari

Dat was geweldig
die gedichten die u ons liet zien
met woorden
in de vorm
van het ding
waarover het gedicht
gaat—
zoals dat ene over een appel
in de vorm van een appel
en dat over het huis
in de vorm van een huis.

Mijn hersens knap-knap-knapten
toen ik naar die gedichten keek.
Ik wist niet dat zo'n dichterfiguur
ook zoiets grappigs
kan doen.

26 februari

Ik heb geprobeerd
zo'n gedicht te schrijven
in de vorm van het onderwerp.

MIJN GELE HOND

door Jack

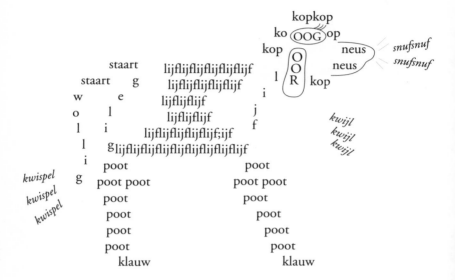

1 maart

Ja
u kunt dat gedicht uittypen
over die gele hond
dat eruitziet als een hond
maar deze keer
moet u de witregels
precies
overnemen
en misschien
staat het wel
heel heel mooi
op geel papier.

Misschien kunt u
mijn naam erbij zetten.
Maar alleen als u dat wilt.
Alleen als u denkt
dat het er goed
uitziet.

7 maart

Ik werd
een beetje verlegen
toen mensen dingen
tegen me zeiden als
Mooi gedicht, Jack
En
Hoe kwam je erop, Jack?

En dat gedicht
dat u hebt opgehangen
over die boom
met de vorm
van een boom,
geen nepboom
maar een echte boom
met wilde takken
vond ik heel erg mooi.

Maar ik zou graag willen weten
wie die
anonieme dichter
uit onze klas is
die hem heeft geschreven
en waarom
hij
of
zij

niet wilde
dat zijn of haar naam
erbij stond?
Was het net als ik
toen ik dacht dat
mijn woorden
geen gedichten
waren?
Misschien kunt u zeggen
tegen de anonieme boomdichter
dat zijn of haar boomgedicht
echt
een gedicht is
echt waar
en ook een mooi gedicht is.

HOU VAN DIE KNUL*
Van Walter Dean Myers

Hou van hem,
als een haas houdt van zijn sprong
zo hou ik van die knul
als een haas houdt van zijn sprong
Zo hou ik ervan hem te roepen
hem te roepen, in de ochtend
Hé daar, jong!

Eerste strofe

14 maart

Dat was het BESTE
gedicht
dat u gisteren voorlas
van meneer Walter Dean Myers
het allerallerBESTE
gedicht
ooit.

Het spijt me
dat ik het boek zonder te vragen
mee naar huis heb genomen.
Ik heb er maar
één vlek
opgemaakt.
Daarom
is de bladzijde beschadigd.
Ik heb geprobeerd
de vlek
eruit te halen.

Ik heb dat BESTE gedicht
overgeschreven
en in mijn slaapkamer gehangen
recht boven mijn bed
waar ik hem

kan zien
als ik
lig.

Misschien kunt u
hem ook overschrijven
en hem in de klas
aan de muur hangen
zodat we hem kunnen zien
als we aan onze tafeltjes
ons werk zitten te doen.

Ik vond gedicht
van meneer Walter Dean Myers
"Hou van die knul"
prachtig.

Het is prachtig
om twee redenen:
Ten eerste
omdat mijn vader
mij 's ochtends
ook zo roept.
Dan roept hij
Hé daar, jong!

En ook omdat
ik veel hield van mijn
gele hond
toen ik hem nog had
en ik hem altijd riep
met—
dan zei ik—
Hé daar, Sprint!

(Hij heette Sprint.)

22 maart

Mijn gele hond
liep altijd achter mij aan
waar ik ook heen ging,
hij was er ook
kwispelend met zijn staart
en het kwijl
dat uit zijn mond liep
als hij
de hele tijd
naar mij lachte
alsof hij
wilde zeggen

dank je dank je dank je
dat je mij hebt genomen
en hij sprong tegen mij op
met zijn wilde warrige poten

tegen mijn borst
alsof hij
mij fijn wilde
drukken.

En als wij
de bal wegtrapten
holde hij erachteraan
en duwde hem met zijn neus
duw duw duw
en dan zat de bal
onder zijn kwijl
maar dat vond niemand erg
omdat hij zo'n
grappige hond was
die hond Sprint
die wilde warrige
lachende
hond
Sprint.

En ik riep hem
elke morgen
elke avond
Hé daar, Sprint!

27 maart

Ja u mag dat uittypen
wat ik schreef over
mijn hond Sprint
maar u mag niet
die ene geheime uittypen
die ik schreef—
die helemaal opgevouwen zat
in een envelop
met plakband erop.
Daar staan teveel woorden in van
meneer Walter Dean Myers
en misschien wordt
meneer Walter Dean Myers
daar boos om.

4 april

Ik was erg blij
te horen dat
meneer Walter Dean Myers
niet iemand is
die snel boos wordt
op een jongen
die een paar woorden van hem gebruikt.

En dank u
voor het uittypen
van mijn geheime gedicht
waar zo veel woorden van
meneer Walter Dean Myers
in staan
en ik vond het mooi
dat u er
Geïnspireerd door Walter Dean Myers
boven had gezet.

Dat klinkt goed
in mijn oren.
Nu zal niemand denken
dat ik het gewoon

heb overgeschreven
omdat ik
mijn eigen woorden
niet kon verzinnen.
Dan weet iedereen
dat ik was
geïnspireerd door
meneer Walter Dean Myers.

Maar niet
op het bord prikken
voorlopig, oké?

Bestaat meneer Walter Dean Myers
in het echt?

En als hij echt bestaat
denkt u
dat hij ooit
onze stad
onze school
onze klas
zal bezoeken?

En als hij dat doet
moeten we
mijn gedicht verstoppen
met zijn woorden—
het heel goed verstoppen—
voor het geval
hij er *toch*
boos om wordt.

9 april

Nee.
Nee, nee, nee, nee, nee.

Ik durf het niet.

U moet het doen.
U bent de juf.

12 april

Ik geloof niet
dat meneer Walter Dean Myers
het leuk vindt
om van een jongen te horen
die zijn gedichten goed vindt.

Ik denk dat meneer Walter Dean Myers
het leuk vindt
om van een juf
te horen
die grote woorden kent
en die goed
kan spellen
en
kan typen.

17 april

Beste meneer Walter Dean Myers,

U hebt vast geen zin om van mij te horen
omdat ik maar een jongen ben
en geen meester
en ik geen
grote woorden gebruik
en u dit waarschijnlijk niet leest
of zelfs als u het leest
het veel te druk hebt
om me terug te schrijven
laat staan te doen
wat ik u wil vragen
maar u moet weten
dat ik dat wel snap
omdat onze juf zegt
dat schrijvers het heel heel heel heel
erg druk hebben
met het schrijven van hun woorden
en de telefoon rinkelt
en de fax loopt
en de rekeningen stromen binnen

en soms worden ze ziek
(ik hoop dat u niet ziek bent,
meneer Walter Dean Myers)
of iemand in z'n gezin wordt ziek
of hun elektriciteit valt uit
of hun auto moet naar de garage
of ze moeten
boodschappen doen
of hun was doen
of hun rommel opruimen.
Ik weet niet hoe
u de tijd kunt vinden
om uw woorden te schrijven
als u dat allemaal moet doen
en misschien heeft u wel
een hulpje nodig.
Daarom wil ik u
het volgende vragen:
Als u ooit een keertje tijd hebt
om uw huis te verlaten
en als u ooit zin hebt
om een school te bezoeken
waar wel een paar kinderen te vinden zijn
die van uw gedichten houden
zou u er dan misschien
over willen denken

om misschien
onze school te bezoeken
waar het schoon is
en meestal
aardige mensen rondlopen
en ik denk zelfs
dat onze juf,
Juf Strechberry
brownies voor u wil maken
omdat zij ze soms
ook voor ons maakt.

Ik hoop dat ik
u niet te veel heb gestoord
met uw werk
en uw kapotte auto
en uw boodschappen
en al die dingen—
omdat u deze brief leest
en er misschien wel
een kwartier over doet
en u in die tijd
misschien wel
een heel nieuw gedicht
had kunnen
schrijven

of minstens het begin
ervan
en het spijt me dus
als ik uw tijd heb
verknoeid
en ik snap het best
als u niet naar onze
schone school komt
om een paar gedichten
aan ons voor te lezen
en uw gezicht aan ons te laten zien
waarvan ik zeker weet
dat het een vriendelijk gezicht is.

Ik heet Jack.
Tot ziens, meneer Walter Dean Myers.

20 april

Hebt u hem verstuurd?
Heeft hij al geantwoord?

24 april

Maanden???
Kan het
Maanden duren
Voor meneer Walter Dean Myers
Mijn brief heeft beantwoord?
Als hij hem al beantwoordt?

Ik wist niet—
tot u het uitlegde—
dat de brief naar
de uitgeverij van
meneer Walter Dean Myers
moet gaan
en dat iemand
van de uitgeverij
al de post moet sorteren
niet alleen mijn brief
maar honderden en honderden
brieven
aan honderden schrijvers
een enorme berg met brieven
opgestapeld
en dat iemand
al die post
sorteert sorteert sorteert
en dat de brieven voor

meneer Walter Dean Myers
naar hem gaan
en dat hij misschien weg is
misschien op vakantie
misschien ziek
misschien ergens in een kamertje
gedichten zit te schrijven
misschien op zijn kinderen
of kleinkinderen past
(als hij getrouwd is en zo)
of misschien naar de tandarts moet
of naar de garage
of dat er iemand is doodgegaan
(ik hoop echt heel erg
dat er niemand is doodgegaan)
dus
als u het mij vraagt
kan het wel
jaren
duren voor hij tijd heeft
om die brief
te beantwoorden
dus dan
kunnen we het
maar beter vergeten
er niet op rekenen

het uit ons hoofd zetten
iets anders aanpakken
laat maar zitten.

26 april

Soms
als je expres niet
aan iets wilt denken
schiet het steeds
weer in je hoofd
je kan er niks aan doen
het schiet in je hoofd
en
je denkt eraan
en
je denkt eraan
tot je hoofd
voelt als
een platgestampte erwt.

2 mei

Ja
dat gedicht over
expres niet denken
aan iets
mag u uittyppen
maar
u moet mijn naam
er maar niet bij zetten
omdat het
gewoon woorden zijn
die uit mijn hoofd komen
en ik niet
goed heb opgelet
welke woorden
er precies
uitkwamen
toen.

7 mei

Misschien kunt u
mij laten zien
hoe je een computer
moet gebruiken
om mijn eigen
woorden uit te typen?

8 mei

Ik wist dat niet
van dat spellingcheck-ding
binnen in de computer.
Het is net een mini
wonderbrein
dat erin zit
een mini hulpbrein.

Maar ik ben een slome typer.
Zei u dat er
een typles-ding
in die computer zat?
Kan ik daardoor
beter
en
sneller
typtyptypen
zodat mijn vingers
net zo snel gaan
als mijn brein?

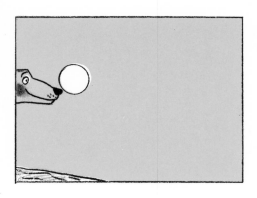

14 mei

(Dit heb ik zelf getypt.)

MIJN SPRINT

We waren buiten
op straat
ik met nog wat vriendjes
en we stonden een balletje te trappen
voor het eten
en Sprint liep te
jagen jagen jagen
en zijn poten
vlogen alle kanten op
en zijn staart
zwaai-zwaai-zwaaide

en zijn bek
kwijl-kwijl-kwijlde
en hij liep
overal
te lachen en te kwispelen
en te kwijlen
en hij maakte ons
aan het lachen
en mijn vader
kwam de straat ingelopen
hij was heel ver weg
zowat op de hoek
ik zag hem
toen hij uit de bus stapte
en hij lie-lie-liep
en ik zag hem zwaaien
en hij riep
"Hé daar, jong!"
en daarom zag ik
die auto niet
die van de andere kant kwam
tot iemand anders—
een van de grote jongens—
uitriep
"Auto!"
en ik draaide me om
en zag een

auto, auto, blauwe kracht
onder de modderspatten
als een speer door de straat

En ik zag Sprint
achter de bal aan rennen
zwaai-zwaai-zwaaiend
met zijn staart
en ik riep hem
"Sprint! Sprint!"
en hij draaide zijn
kop om
maar het was te laat
omdat de
auto, auto blauwe kracht
onder de modderspatten
Sprint aanreed
plof plof plof
en hij reed maar door
met zo'n haast
zo snel
met zo'n eind te gaan
dat hij niet eens kon stoppen
en
Sprint
lag daar maar
op de weg

op zijn zij
met zijn poten raar gedraaid
en
zijn flanken gingen
op en neer
en hij keek me aan
en ik zei
"Sprint! Sprint! Sprint!"
en toen stond
mijn vader daar
en hij tilde Sprint
van de straat
en legde hem op het gras
en
Sprint
deed zijn ogen dicht
en
hij
deed
ze
nooit
meer
open.

15 mei

Ik weet het niet.

Als u het op het bord prikt
en mensen gaan het lezen
dan worden ze misschien
verdrietig.

17 mei

Oké.
Vooruit dan maar.
Ik zet mijn naam er wel bij.

Maar ik hoop dat
mensen er niet al te verdrietig van worden
en als dat wel zo is
misschien kunt u dan
iets bedenken
om iedereen op te vrolijken
zoals bijvoorbeeld met
een paar van die brownies
die u maakt
die met chocola
die zo lekker zijn?

21 mei

Wauw!
Wauw wauw wauw wauw wauw!

Dat was het beste beste BESTE
nieuws
ooit
ik kan het niet geloven.

Komt
meneer Walter Dean Myers
echt echt echt
bij ons op school?

Kwam hij
toch al
naar onze stad
om een oude vriend op te zoeken?

En is hij echt
vereerd
om onze schone school
te bezoeken
en de meestal aardige kinderen
te ontmoeten
die van zijn gedichten houden?

Wij hebben wel geluk
dat zijn oude vriend
in onze stad woont.

WAUW!!!

28 mei

Het prikbord
lijkt wel
in bloei te staan van woorden
met al die gedichten
van iedereen
op al die
gekleurde blaadjes papier
geel blauw roze rood groen

En het lijkt net
of er boeken groeien
uit de boekenkast
met al die boeken van
meneer Walter Dean Myers
op een rijtje
die ons aanstaren
en wachten tot
meneer Walter Dean Myers
zelf
onze school
bezoekt
en in de klas komt

Wauw!

29 mei

Ik kan niet wachten.
Ik kan niet slapen.

Heeft u echt
mijn gedicht verstopt
dat geïnspireerd was door
meneer Walter Dean Myers?

Ik wil per se
voor voor voorkomen
dat hij boos wordt.

1 juni

**MENEER
WALTER
DEAN
MEYERS
DAG**

NOG NOOIT
in mijn hele leven
heb ik
OOIT
iemand gehoord
die kon spreken als
meneer Walter Dean Myers.

Het bloed
borrelde
in mijn aderen
en alle gedachten
in mijn hoofd
gonsden
en
ik wilde
meneer Walter Dean Myers
voor altijd
bij ons op school houden.

6 juni

Beste meneer Walter Dean Myers,

Honderdmiljoen keer
Dank
dat u
uw werk
en uw gezin
en de dingen-die-mensen-moeten-doen
in de steek hebt gelaten
om ons te bezoeken
in onze school
in onze klas.

We hopen dat u het leuk vond.
We denken van wel
want
u zat de hele tijd te
lach-lach-lachen.
van oor tot oor.

En toen u
uw gedichten
voorlas
had u de

best best BESTE
stem
laag en diep en vriendelijk en warm
alsof hij zich naar ons uitstrekte
en ons allemaal
stevig tegen zich aan
wilde drukken
en toen u lachte
had u de
best best BESTE
lach die ik ooit heb gehoord
alsof hij
uit een diepe grot opborrelde
en rollend en tuimelend
de lucht in schoot.

We hopen dat we u
niet al te veel vragen hebben gesteld
maar we bedanken u
dat u ze stuk voor stuk hebt beantwoord
en vooral dat u zei
dat u zich
gevleid
zou voelen

als iemand
wat van uw woorden
zou gebruiken
en helemaal als ze
erbij zouden zetten
dat ze zijn
geïnspireerd door
Walter Dean Myers.

En het was heel aardig van u
dat u al onze gedichten
op het prikbord hebt gelezen
en ik hoop
dat u niet
al te verdrietig werd
toen u die ene las
over mijn hond Sprint
die op straat werd platgereden.
En volgens mij
vond u de brownies ook lekker,
of niet?

Bedankt voor
uw bezoek aan ons
meneer Walter Dean Myers.

In deze envelop
zit een gedicht
met een paar van uw woorden.
Ik heb het geschreven.
Het is
geïnspireerd door
u
meneer Walter Dean Myers.

Van uw grootste fan,
              Jack

HOU VAN DIE HOND

(Geïnspireerd door Walter Dean Myers)

Van Jack

Hou van hem,
als een vogel van de wind
Zo hou ik van die hond
als een vogel van de wind
Hou ik ervan hem te roepen,
hem te roepen, in de ochtend
"Hé daar, Sprint!"